Hugo Verlomme

Une vague pour Manu

Photos de Daniel Allisy

ROMANS **IMAGES**

GALLIMARD JEUNESSE

Ariane
Howa

Jean
Commarieu,
Françoise
Jamonneau

Legi Matiu

Loi n° 49-956 du 16 juillet 1949 sur les publications destinées à la jeunesse
Dépôt légal janvier 1998

Hugo Verlomme

UNE VAGUE POUR MANU

Samuel Lopez

Florian Martinel

Tiphaine Cassan

Photos de Daniel Allisy

ROMANS **IMAGES**

GALLIMARD JEUNESSE

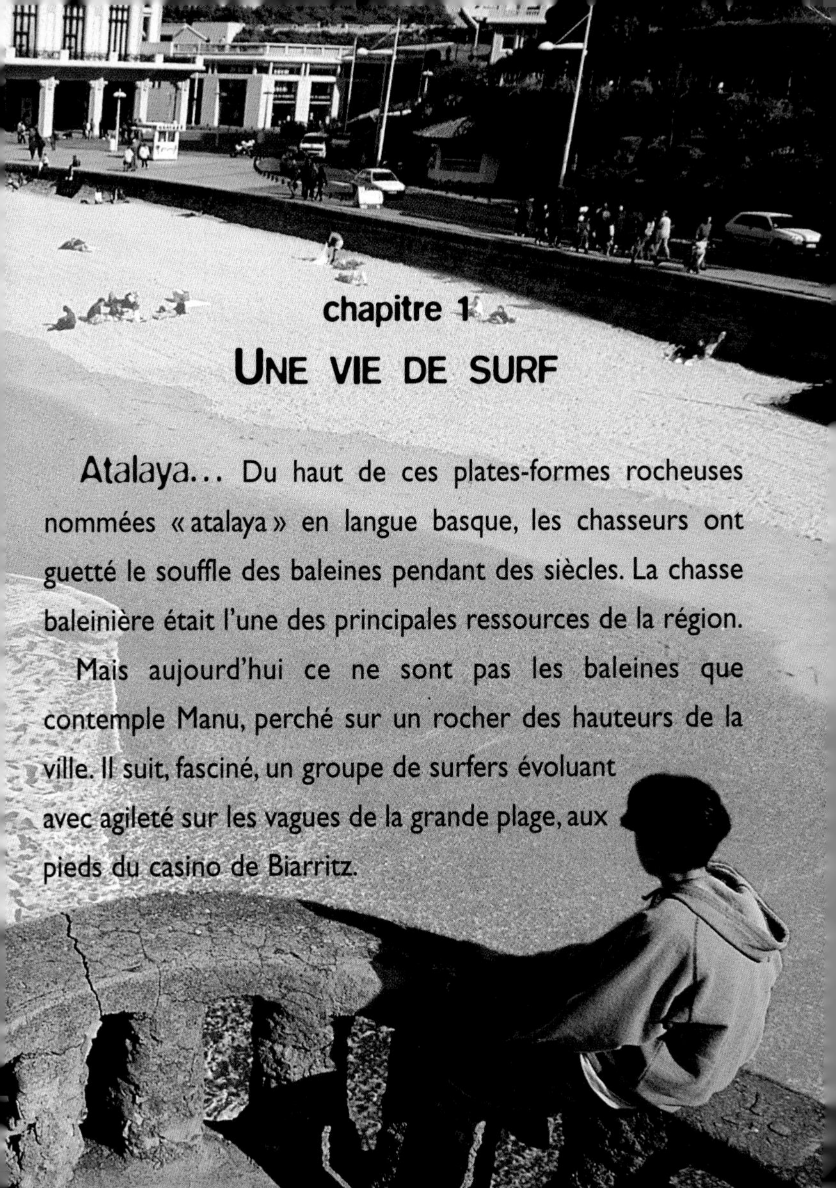

chapitre 1

UNE VIE DE SURF

Atalaya... Du haut de ces plates-formes rocheuses nommées « atalaya » en langue basque, les chasseurs ont guetté le souffle des baleines pendant des siècles. La chasse baleinière était l'une des principales ressources de la région.

Mais aujourd'hui ce ne sont pas les baleines que contemple Manu, perché sur un rocher des hauteurs de la ville. Il suit, fasciné, un groupe de surfers évoluant avec agileté sur les vagues de la grande plage, aux pieds du casino de Biarritz.

Pour lui c'est un enchantement renouvelé de se trouver à la fois en pleine ville et près d'une plage avec des vagues à surf. Éparpillés sur le sable, de petits groupes observent les évolutions de leurs amis. Sous les arcades ombragées, des surfers aux cheveux décolorés déambulent devant les boutiques de surf. Ce que Manu considérait comme un rêve de citadin est ici un art de vivre. Sur toute la Côte basque le surf semble bel et bien intégré à la culture locale.

Le plateau de l'Atalaye domine la Grande plage et Manu s'imagine qu'il est un oiseau. Vues d'ici, les vagues ont l'air petites. Elles sont lisses, bien formées, et les surfers en profitent pour se livrer à toutes sortes de figures acrobatiques. Des jeunes gars de son âge. Deux d'entre eux sont dans la même classe que lui. Il aimerait tant être à leurs côtés…

Manu soupire… Il garde un cahier à spirale ouvert sur les genoux, son ami, son confident. L'émotion le saisit alors qu'il s'apprête à rédiger les dernières lignes d'un poème. Derrière la blancheur du papier, deux yeux gris le regardent.

Tantôt il admire les surfers, tantôt il écrit quelques mots, le cœur lourd. Ce nouvel environnement l'a déstabilisé. Il avait pourtant poussé des cris de joie quand son père avait annoncé qu'ils allaient s'installer dans la région de ses rêves.

Surfer toute l'année, contempler la mer à la sortie du collège… Idées impensables à Paris, et bien réelles ici, à Biarritz. À Paris, la chambre de Manu était tapissée de photos et de posters de vagues et de surfers, mais son quotidien consistait plutôt en embouteillages et patins à roulettes. Manu adore le surf, lit des magazines spécialisés et s'intéresse aux émissions sur la glisse, mais il n'est encore qu'un amateur. Il a fait du surf une douzaine de fois, dans les eaux froides de Bretagne, et se sent trop ridicule pour se mêler aux « pros ».

Manu est d'une constitution maigrichonne. « Un vrai gringalet ! » dit souvent son père avec dépit. Il a presque honte de son corps, ses membres minces, son buste longiligne, sa peau blanche. Il a entendu les ricanements des surfers de sa classe, dans les douches de la piscine. Eux, qui ont la peau tannée par le soleil et les épaules arrondies par le surf, se sont empressés de le surnommer « Tarzan ».

Et surtout, il y a Marine… Une fille de sa classe. Belle, mais inquiétante, comme rongée par quelque profond secret. Elle ne se mêle pas aux autres et Manu ne la voit pas sur la plage avec toute la bande. Il sent qu'elle est différente, mais elle l'intimide trop pour qu'il ose lui adresser la parole. Jamais il n'a ressenti pareille émotion. Les yeux brillants de Marine sont nostalgiques, profonds. Ces yeux le hantent jour et nuit. Alors il a décidé de lui écrire des poèmes…

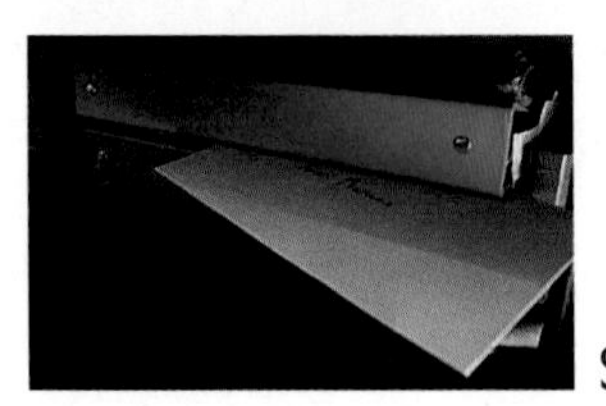

chapitre 2
Tarzan poète

Sur les hauteurs de la ville, du côté de la commune d'Anglet, voisine de Biarritz, Marine suit la route sinueuse qui mène au collège. Le vent humide porte des senteurs océanes et les rafales emmêlent ses cheveux. Elle s'efforce de chasser les pensées noires qui l'assaillent, réveillées par la présence subtile de l'océan.

Lorsqu'elle ouvre son casier, elle remarque tout de suite l'enveloppe bleue qui a été glissée à l'intérieur. C'est la cinquième depuis le début de l'année. Une fois de plus, l'enveloppe contient un poème anonyme, écrit à la main sur une feuille de cahier à spirale.

Au début elle était agacée par ces poèmes glissés dans le casier du collège, mais à force de les lire et les relire, elle admet que ces mots l'émeuvent, comme si son mystérieux auteur la connaissait intimement. Quelques minutes avant le cours de français, elle s'isole dans un coin de la cour, déplie la feuille et commence à lire :

« Tu fuis la mer qui danse,
Et derrière la pluie de tes yeux,
Palpite une lourde absence,
Un secret mystérieux,
Des océans sans rivages… »

« Une lourde absence… Des océans sans rivages… » Ah ça, comment peut-il savoir ? L'auteur de ces lignes aurait-il un talent visionnaire ?

C'est vrai, depuis quelque temps Marine est triste. C'est vrai que cette année elle refuse d'aller à la plage avec ses copains. Elle préfère les balades dans les montagnes des Pyrénées. Mais elle a ses raisons, des raisons qui ne regardent qu'elle.

Une fois de plus, Marine passe en revue les garçons de sa classe pour tenter de deviner qui pourrait être le mystérieux auteur de ces poèmes… Le beau Julien qui frime sur sa moto ? Peuh ! Il serait bien incapable d'écrire de si doux vers… David, le surfer aux yeux bleus ? N'est-il pas amou-

reux de Maïté ? Ou bien Peio, le petit Basque têtu qui la regarde avec des yeux intenses ? Mais il est nul en français...

Alors qui ? Elle a beau retourner la question dans sa tête, elle ne trouve pas. Elle a lâché quelques allusions devant les garçons qu'elle soupçonne, comparé quelques écritures, mais sans le moindre résultat.

Pendant le cours de français, Marine a la tête ailleurs, elle n'entend plus les explications de madame Berg sur *Bel-Ami* de Maupassant. Aujourd'hui l'envie lui vient de répondre à ce poète anonyme. Elle voudrait comprendre par quel sortilège il devine ses secrets. Elle sort la feuille, la déplie, relit le poème... Un coup de coude d'Éléonore, sa voisine, la ramène – un peu tard – à la réalité. Madame Berg s'avance déjà vers elle.

– Et que fait notre rêveuse Marine ? demande la professeur.

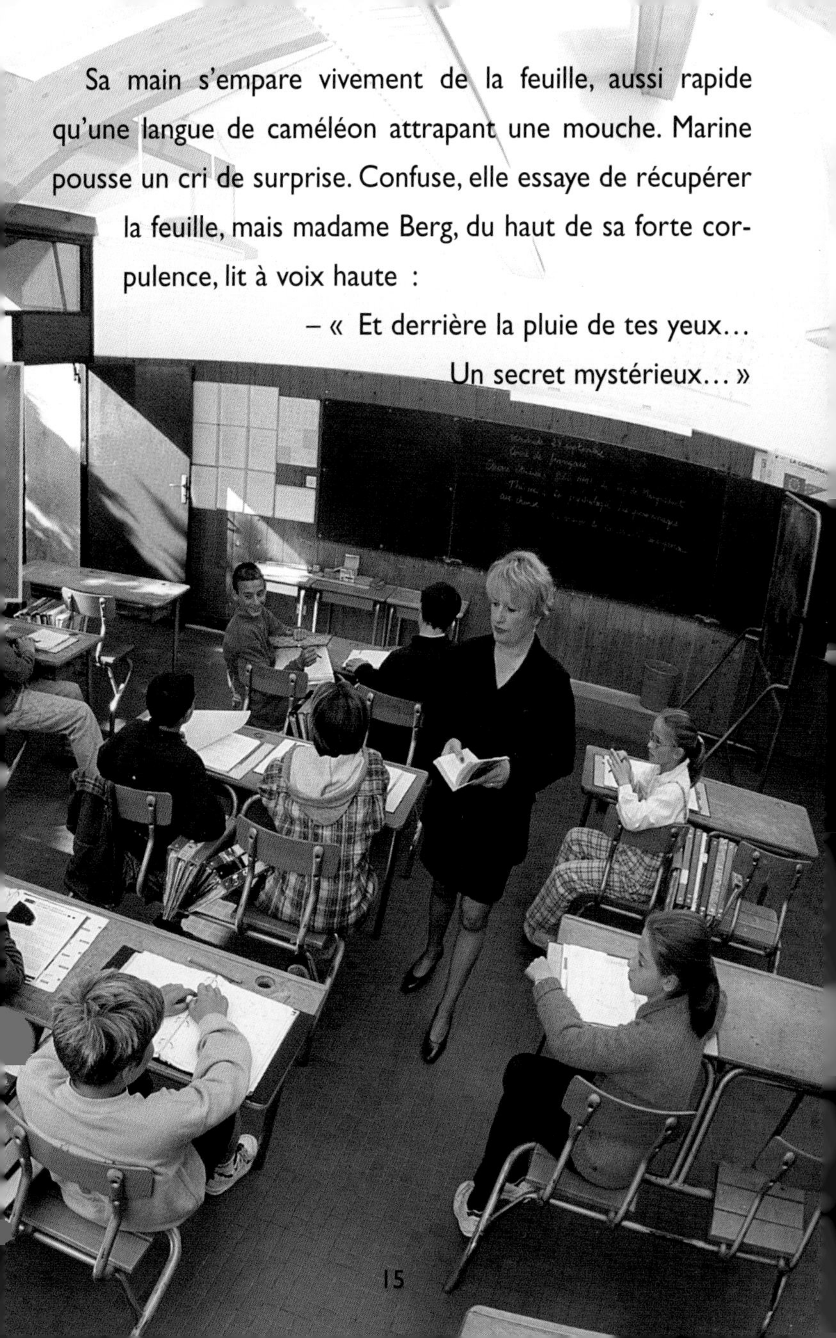

Sa main s'empare vivement de la feuille, aussi rapide qu'une langue de caméléon attrapant une mouche. Marine pousse un cri de surprise. Confuse, elle essaye de récupérer la feuille, mais madame Berg, du haut de sa forte corpulence, lit à voix haute :

– « Et derrière la pluie de tes yeux…
Un secret mystérieux… »

Des ricanements stupides se font entendre. Marine est morte de honte. Elle songe avec angoisse que l'auteur de ces lignes se trouve peut-être dans la classe…

– C'est très bien de s'intéresser à la poésie, Marine, même la poésie galante, mais si vous aviez lu *Bel-Ami*, vous sauriez que l'amour peut aussi être cruel…

Heureusement madame Berg en reste là et repose la lettre sur le bureau. À ce moment précis, Marine prend conscience d'un regard dans son dos. Quelqu'un s'agite. Elle n'a pas besoin de tourner la tête pour savoir qui : c'est le nouveau, Manu, arrivé de Paris au début de l'année.

Par une fulgurante intuition, elle comprend alors qu'il est l'auteur des poèmes anonymes. Manu !... Cela ne fait aucun doute. Ça alors ! Lui qui semble d'ordinaire si discret... Elle n'avait absolument pas pensé à lui. Elle a l'impression de ne pas le connaître. Il paraît souvent perdu dans son monde intérieur et ne se mêle pas aux autres. Elle n'ose plus tourner la tête vers lui et sent dans son dos le fer rouge de ses yeux qui la transperce.

Dès la fin du cours, Manu se faufile vers la sortie en évitant Marine. Au passage il entend fuser les sarcasmes. Marine n'est pas seule à avoir deviné qui était l'auteur de ces lignes :

– Je ne savais pas que Tarzan était poète... dit l'un.

– Poète... Pouêt ! pouêt ! reprend l'autre.

« **Tarzan** », c'est le surnom trouvé par Gérard et Philibert, les deux rouleurs de mécaniques de la classe, qui se moquent de sa frêle constitution. Honteux, humilié, Manu se précipite dehors.

chapitre 3
CHAMBRE D'AMOUR

Manu ne connaît qu'un moyen de calmer ses émotions. Il court chez lui, saisit sa combinaison, sa planche de surf, et s'élance sur sa mobylette sans prendre

le temps de mettre son casque, son encombrant chargement sous le bras. Il ne voit même pas son ami Omar qui le croise en VTT et lui fait signe.

Manu en veut à Marine de cet incident. Lui qui a déjà du mal à s'intégrer à la classe… Pourtant Manu ne sait comment interpréter le fait que Marine lisait son poème pendant le cours…

Le voilà enfin face à l'océan.

Chaque jour ou presque, qu'il pleuve ou qu'il vente, il vient contempler la splendeur du golfe de Gascogne. C'est magique. Avoir la mer pour lui tout seul, à portée de main, lui paraît tellement irréel qu'il ressent le besoin de venir vérifier jour après jour s'il ne s'agit pas d'un mirage, si l'océan est toujours là…

Le ciel est bleu mais le vent humide;
les vagues semblent inexistantes, mais Manu s'en fout, il entend gronder le ressac, c'est cela qui compte. Devant l'océan, ses angoisses les plus noires se dissolvent en gouttelettes. Il se sent redevenir petit, tout petit, invisible grain de sable dans l'Univers…

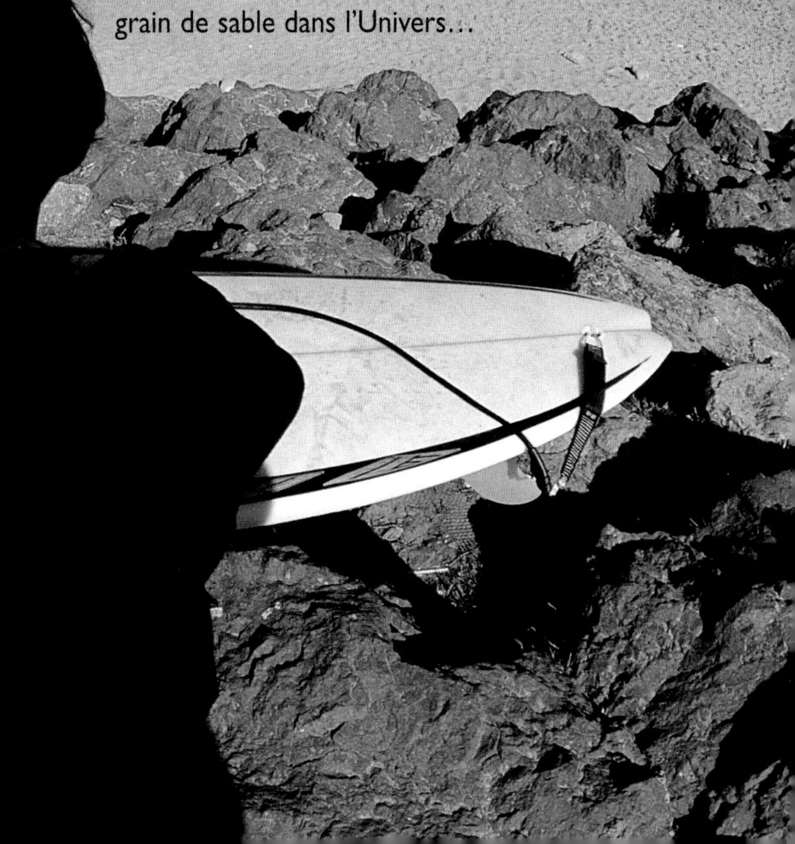

Il descend sur cette plage nommée « Chambre d'Amour », parce que, dit-on, deux amoureux s'y laissèrent surprendre dans une grotte par la marée, et furent emportés par les vagues. Le seul fait de marcher pieds nus dans le sable l'aide à respirer plus amplement... Manu a son coin de prédilection, un rocher noir sur lequel il dispose ses affaires. La mer clapote de façon désordonnée, il n'y a pas un surfer à l'horizon et Manu apprécie cette solitude. Il n'a pas à redouter le regard des autres, il peut s'entraîner secrètement, disposer de la plage à lui tout seul. Plus tard, lorsqu'il saura mieux surfer, il pourra se mêler aux surfers du coin sans craindre le ridicule.

Il se déshabille, enfile sa combinaison, fixe son attache autour de sa cheville, puis court vers les flots, la planche en avant, tel un chevalier qui charge lors d'un tournoi. L'eau froide le gifle, s'infiltre entre sa nuque et la combinaison. Mais au moins Manu est dans l'eau, il sent l'écume de l'océan lui fouetter le visage, l'iode lui emplir les poumons.

Il rame de toutes ses forces comme s'il avait en face de lui un océan furieux. Il ne sent plus le froid. Les yeux fermés, il

s'imagine qu'il est à Hawaii, ramant sur une vague de légende… Il commence à s'essouffler, ses épaules le brûlent, mais sa planche crève l'écume et fend fièrement le clapot.

Une coulée blanche déboule sur lui, sa planche est prise en travers et Manu roule dans l'eau. La tête dans les bulles, il reste suspendu dans un silence soyeux et se laisse aller, goûtant un bref instant la sensation d'apesanteur. Il ne craint pas de perdre sa planche, car elle est reliée à sa cheville par son « leash », un cordon élastique.

Manu remonte sur la planche et repart à l'assaut des flots, constatant sans se décourager qu'il a été pratiquement ramené au bord… À nouveau il rame vers le large, crevant la mousse, laissant libre cours à son énergie trop longtemps contenue. Il pousse des cris d'Apache et s'efforce de ne pas trop penser à Marine, d'oublier l'instant humiliant où madame Berg a lu à voix haute quelques mots de son poème…

chapitre 4
LA PEUR DE MARINE

En sortant du collège, Marine s'en veut. Décidément, elle fait tout de travers ces temps-ci. Elle n'aurait jamais dû sortir le poème en cours. Les autres vont se moquer de Manu…

Depuis qu'elle a compris qu'il est l'auteur des poèmes, elle le voit différemment. Plus elle pense à lui, plus elle sent naître un sentiment de sympathie à son égard.

L'envie soudaine lui vient de le voir, maintenant, de lui parler pour tenter de dissiper le malaise. À peine Marine arrive-t-elle près de chez elle qu'elle décide de faire demi-tour, remontant direct vers le quartier Saint-Charles où habite Manu. Elle contourne le terrain de golf et croise un jeune garçon noir sur un vélo, Omar, l'un des rares copains de Manu, qui habite dans le même quartier. Omar est un fou de VTT et parcourt chaque jour des kilomètres sur son deux-roues. Les mèches de ses cheveux sont tressées en dread-locks et son vélo est peint aux couleurs rasta du drapeau éthiopien, vert, jaune, rouge.

– Je cherche Manu… lui dit-elle sans ambages.

– Manu ? Je l'ai vu filer tout à l'heure en mob' avec son matos de surf, répond Omar, le front brillant de sueur, il a dû aller surfer à la « Chambre »… Je lui ai fait signe mais il ne s'est pas arrêté… Il avait l'air drôlement pressé, il n'avait même pas mis son casque.

– *Surfer ?* Marine n'en revient pas. Ce n'est pas du tout l'image qu'elle se fait de lui.

– Ouais, c'est son petit secret, à Manu. Il attend que le temps soit pourri, pour être sûr qu'il n'y a personne, et il va surfer tout seul…

Une rafale de vent fait tomber une pomme de pin qui éclate sur la route. Les dernières phrases d'Omar résonnent comme un mauvais présage : « … il n'avait même pas mis son casque… Temps pourri… il va surfer tout seul… »

Marine remarque les pignons de la pomme de pin éparpillés sur le sol, ces pignons qu'elle aimait tant grignoter quand elle était enfant. Mais le vent violent lui glace le cœur.

Sans attendre, Marine se met à marcher, puis à courir vers la plage. Des images douloureuses remontent à son esprit, vagues blanches qui se dressent dans sa mémoire, prêtes à tout engloutir…

La mer, Marine en a peur… Et d'abord, pourquoi a-t-il fallu qu'on l'affuble d'un prénom pareil : « Marine », qui vient toujours lui rappeler l'Océan ?…

Elle court de plus en plus vite et commence à s'essouffler. L'odeur des embruns lui pique les narines, les senteurs d'algues sèches lui donnent la nausée. Elle revoit, par flashes dans sa mémoire, une vieille dame à la peau cendrée, étendue sur son lit dans sa chambre. Le lit est tourné face à la fenêtre qui donne sur la mer. Il ne reste plus à cette femme qu'un souffle de vie. Son haleine sent déjà la mort, elle murmure des mots à peine audibles : « Dis-lui que je l'ai attendu… »

chapitre 5

DANGER : VAGUE

Les idées noires de Manu volent en éclats à chaque fois qu'il rame. Les yeux de Marine lui apparaissent dans la transparence de l'écume. L'idée de la revoir l'angoisse ; tout à ses pensées, il ne remarque pas qu'une houle secondaire s'est formée. Sa planche roule dangereusement et il s'y accroche. Ici au moins, il n'y a personne pour se moquer de lui. La pointe de la planche perce le sommet d'une vague ; une claque d'eau glacée lui explose en pleine figure. Ses yeux le brûlent, il boit la tasse et se met à tousser. Il entendrait presque rire son père, qui ne manque jamais une occasion de lui répéter qu'il devrait se muscler...

Au rire de son père, succède un grondement d'écume. Attention, Manu ! Une voix résonne dans sa tête pour le prévenir d'un danger, mais trop tard...

Une vague est là, qui se dresse devant lui et fait le dos rond, tel un chat face à l'ennemi. Manu rame furieusement vers le sommet pour tenter de passer de l'autre côté, mais la grande gueule liquide se dilate, les lèvres d'écume s'étirent, et Manu se retrouve emporté dans un Niagara d'eau salée, son corps désarticulé comme une poupée de son. Il sent un violent étirement à la cheville, sans doute causé par l'attache, puis plus rien ; valdingué sous l'eau, il ne sait même plus dans quel sens se trouve la surface…

chapitre 6
CAUCHEMAR

Marine arrive en vue de la plage. Elle s'arrête un instant au sommet de la côte. Tout en bas, la Chambre d'Amour. Entre les constructions modernes et la falaise, la mer, la mer ennemie palpite, glaciale, hostile, cette mer que Marine redoute tant...

La plage semble déserte. En regardant mieux, elle distingue une tache de couleur, au bout de la route : sa mobylette. Sans plus attendre, elle descend le long du sentier.

Elle s'arrête à mi-pente, essoufflée, pour essayer de trouver Manu, mais la mer semble plus vide et dangereuse que jamais. Où est-il donc ? Soudain elle sursaute, apercevant un objet rejeté sur la grève par les vagues : une planche de surf. Pourtant aucun surfer n'est visible... Sur un rocher elle remarque des habits empilés et reconnaît alors la chemise de Manu. Son sang se glace. Elle court sur le sentier escarpé. Au bout de quelques mètres, elle glisse et tombe. Elle se relève et fonce vers la plage. Elle a envie de pleurer, des images de cauchemar assaillent son esprit : Manu noyé, rejeté par la mer, Manu humilié, qui est allé se perdre dans la mer à cause d'elle... Non ! Mon Dieu, faites que ce ne soit pas vrai !

chapitre 7

DES CORPS QUI FLOTTENT

La vague projette Manu vers le fond et le maintient un moment sous l'eau ; il s'efforce de rester calme. Enfin il remonte à la surface bouillonnante. Là, il prend conscience que l'attache le reliant à la planche a cassé et qu'il est livré à lui-même pour retourner jusqu'à la plage. Heureusement sa combinaison de plongée lui assure une bonne flottabilité. Il réussit à se maintenir en surface, malgré une autre vague qui le roule sur lui-même.

Manu ne se trouve plus qu'à une cinquantaine de mètres du bord, mais doit lutter contre le courant ; il commence à sentir l'épuisement. Sa planche a été rejetée plus loin sur le sable. Il discerne alors un point qui se déplace sur la plage. C'est une silhouette qui court, on dirait une fille... On dirait... MARINE ? ?

Manu se demande s'il n'est pas tout simplement en train d'halluciner... Une nouvelle vague déverse son flot d'écume glacée sur sa tête, dur rappel à la réalité. Lorsqu'il émerge, il reconnaît Marine courant sur la grève dans sa direction. Il ne comprend pas ce qu'elle peut bien faire là, elle qui ne vient jamais à la plage. Il trouve un regain de force et se met à crawler vers le bord. Il sort enfin de l'eau et Marine vient à lui.

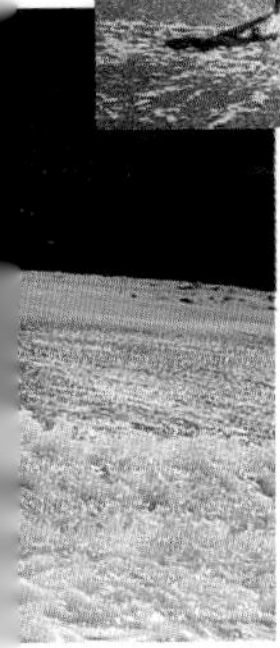

Il remarque alors son expression : on dirait qu'elle pleure.

– MANU ! MANU !

Marine l'appelle, bouleversée. Elle semble heureuse de le voir. Essoufflé, engoncé dans sa combinaison, Manu ne comprend toujours pas. Marine ne peut s'empêcher de le prendre dans les bras malgré la combinaison humide.

– Manu, j'ai eu si peur ! J'ai cru que... tu t'étais noyé ?

– Noyé ? ? Manu la regarde avec des yeux ronds.

– Je voulais te voir à cause de ce qui s'est passé au collège, pour m'excuser... J'ai rencontré Omar. Il m'a dit que tu étais parti surfer tout seul... Et quand j'ai vu ta planche sur le bord, ça m'a rappelé de mauvais rêves...

– C'est mon attache qui a lâché. Tout va bien. Regarde : il n'y a pratiquement pas de vagues. Je ne risquais pas grand-chose tu sais…

Manu la regarde, encore sidéré de la tenir dans ses bras. Marine se calme, s'écarte un peu de lui.

– Tu dois penser que je suis folle ?

– Mais non, c'est moi qui suis fou de t'avoir écrit des poèmes anonymes. Excuse-moi, je n'aurais jamais dû faire ça.

– Mais… j'aime beaucoup tes poèmes…

– Ah ? Manu ne sait plus que dire.

– Par moments, en les lisant, j'avais l'impression que tu connaissais mes pensées, ça fait bizarre.

– Je les écris face à la mer, en pensant à toi…

– Face à la mer ? Marine est troublée.

– Je m'installe sur des rochers, au-dessus des vagues, ça m'inspire…

– Je n'aime plus la mer.

– Comment peut-on ne pas l'aimer ?

Manu n'en revient pas.

– Elle me fait peur… Je fais ces rêves… de mauvais rêves qui reviennent… si souvent… Je vois des corps qui flottent sur l'eau…

Marine grimace sous l'effet d'un mauvais souvenir, elle se tient la tête avec les mains et ajoute d'une petite voix :

– Je ne peux pas t'expliquer…

– C'est vrai, la mer est dangereuse, reconnaît Manu, mais on peut aussi apprendre à la connaître, à jouer avec elle.

– Non, il ne faut pas jouer avec elle, Manu… La mer est traîtresse, elle prend la vie des hommes, elle détruit tout… Marine désigne l'océan gris qui gronde près d'eux.

– La mer c'est aussi l'origine de la vie, clame Manu. Tu devrais savoir ça, toi qui t'appelles « Marine ».

Marine secoue la tête comme si elle refusait de l'écouter. Elle recule d'un pas :

– Bon, voilà. Il faut que j'y aille… Mes parents risquent de s'inquiéter.

– Mais… Manu ne sait comment la retenir.

– Au-revoir Manu, murmure-t-elle avant de repartir vers le bout de la plage.

Manu reste là, bras ballants, il la regarde s'éloigner, essayant de comprendre ce qui vient de lui arriver.

chapitre 8

Manu et Nalu

Manu demeure un long moment à regarder la silhouette qui remonte sur le sentier jusqu'à ce qu'elle disparaisse derrière les talus. Encore étourdi par cet événement, il se croit soudain victime d'une illusion : l'un des rochers de la plage se met à bouger tout seul.

La masse sombre se déplie d'un coup, comme si la roche se métamorphosait en génie bien vivant.

C'est un gros homme, qui devait être assis ou bien accroupi à quelques mètres d'eux, tellement immobile que ni Manu ni Marine ne l'avaient remarqué. Manu n'en revient pas.

L'homme le regarde en souriant. Sa peau est foncée, il a de longs cheveux filés d'argent et un corps imposant. C'est sûrement un Polynésien. Il saute des rochers avec une incroyable agilité pour quelqu'un de sa corpulence, et s'approche de Manu.

– Alors petit, ton « leash » a cassé ? L'homme s'exprime avec un drôle d'accent et désigne la planche de surf qui gît sur la grève.

– Euh oui, j'ai été surpris par une vague...

– Je sais, je t'observais.

Le contraste entre les deux personnages est saisissant. Même avec sa combinaison, Manu paraît mince et frêle face à cet homme massif.

– Je m'appelle Nalu, dit-il. Je viens de « la grande île » d'Hawaii. Et toi comment t'appelles-tu ?

– Manu...

– Manu ? Nalu et Manu ? Il rit. Ça c'est drôle... En hawaïen, « nalu » signifie « la vague ». Et « Manu », qu'est-ce que ça veut dire ?

– J'en sais rien. C'est un diminutif...

– Tu sais Manu, tu ne devrais pas surfer tout seul comme ça. Tu dois bien avoir des copains qui aiment surfer ?

– Non, je n'ai pas tellement de copains. Je suis arrivé cet automne dans la région. Je viens surfer ici lorsque le temps est plat et qu'il n'y a presque pas de vagues. Je préfère être seul.

– Être seul c'est bien, mais avec la mer il faut être vigilant. Tout le temps. La mer est un drôle d'animal, tu sais, très imprévisible. Laisse-moi te raconter une histoire : des amis à moi traversaient le Pacifique sur un voilier. La mer et le vent étaient calmes depuis des jours et des jours, lorsqu'ils ont entendu un grondement terrible derrière eux, « comme le bruit d'une locomotive lancée à pleine vapeur »...

– Un train en plein océan ?

– En réalité il s'agissait d'une très grosse vague complètement isolée. Ils ne s'y attendaient pas. Leur voilier a été couché par la vague... En hawaïen nous avons un proverbe qui dit : « Ne tourne jamais le dos à la mer ». Sur nos plages d'Hawaii, plus d'un marcheur a été emporté parce qu'il n'avait pas bien observé la mer. Tu as vu ce qui t'est arrivé tout à l'heure... Tu t'es laissé surprendre par une vague et ton leash a cassé.

– Vous m'avez vu ? Manu le regarde avec un étonnement croissant.

– Oui, j'ai même cru que j'allais devoir me mettre à l'eau pour t'aider. Nalu lui sourit ; ses dents sont très blanches.

–Vous êtes surfer ?

– Ça ne se voit pas ? Nalu se met à rire. Tu crois que je suis trop gros pour surfer ?

– Non non, répond Manu, gêné, ça serait plutôt moi qui suis trop maigre...

Cette remarque fait rire le gros Hawaïen qui lui tape amicalement sur l'épaule.

– Ne dis pas ça, Manu. Le surf est autant mental que physique. Toi par exemple, tu as du courage de venir surfer ici tout seul quand l'eau est froide et le temps mauvais. C'est déjà beaucoup. Et si tu continues à ramer comme ça, tu vas vite développer tes épaules. Tu ramais comme un furieux tout à l'heure, tu avais l'air en colère contre la Terre entière.

– J'avais besoin de me défouler...

– Tu t'étais disputé avec ta petite amie ? Celle qui est venue sur la plage tout à l'heure ?

– Ce n'est pas ma petite amie...

– Pourtant vous semblez attachés l'un à l'autre... Elle avait l'air drôlement inquiète pour toi...

– Non, c'est pas ça... Elle a peur de la mer, elle ne l'aime plus...

– Pourquoi ?

– Elle fait des cauchemars... Elle voit des noyés qui flottent... Elle dit que la mer est traîtresse, qu'elle prend la vie des hommes et détruit tout sur son passage...

– Ce n'est pas faux... Regarde cette plage, des rochers jetés n'importe comment, des falaises grignotées par les vagues et puis... comment s'appelle cet endroit ?

– La Chambre d'Amour.

– Eh oui ? Encore deux amoureux qui n'ont pas été assez vigilants avec l'océan ? C'est normal tu sais, d'avoir peur de la mer. Si quelqu'un te dit qu'il n'a pas peur de la mer, tu sauras que c'est un menteur ou un fou... Mais j'aimerais faire quelque chose pour toi et ton amie...

Le gros Hawaïen fouille dans sa poche et en tire deux petits cailloux noirs et ronds. Dans sa grosse main lisse et puissante ils ont l'air de haricots.

– Ce sont des roches volcaniques de mon île. Elles ont été trouvées dans les ruines d'un ancien temple du surf, sur les flancs du volcan. Les volcans eux aussi peuvent tout détruire tu sais, mais ils ont également le pouvoir de donner la vie. Sur mon île, la lave coule directement dans le ventre de l'océan. Ces deux petites pierres sont le mariage du feu et de la mer. Donnes-en une à ton amie. Dis-lui de dormir avec, et fais la même chose...

– Dormir avec ?? Manu est interloqué.

– Les dieux du surf sont aussi les dieux du rêve... Ils sont capables de soulever des vagues invisibles qui peuvent emporter deux personnes dans le même rêve... Tout ce que vous avez à faire, ta copine et toi, c'est de mettre cette pierre sous votre oreiller.

chapitre 9
Où est Marine ?

Manu rentre chez lui tout illuminé par sa rencontre avec l'Hawaïen. L'homme a insisté pour que Manu remette la petite pierre à Marine le soir-même. À l'idée de la revoir il se sent les jambes en coton.

Une fois encore, il observe les deux pierres noires sous tous les angles, sans rien leur trouver de remarquable. Elles sont rondes, denses et plutôt tièdes, comme si la lave n'avait pas complètement refroidi. Enfin, la main tremblante, il se décide et décroche le téléphone. Le numéro de Marine, il le connaît par cœur depuis belle lurette, mais jusque-là il n'avait jamais osé le composer…

Sa petite sœur Élisa répond. Non, Marine n'est pas là, elle est sortie. Manu insiste, lui dit qu'elle a oublié quelque chose de très important au collège.

– Bon, répond Élisa toujours prête à bavarder, je vais vous dire où elle est. Elle a fait un truc bizarre, tout à l'heure. Elle a décidé d'un seul coup d'aller au musée.

– Au musée, demande Manu interloqué, mais quel musée ?

– Justement, c'est ça qui est bizarre : au musée de la Mer…

Manu est électrisé. Quoi ? Marine au Musée océanographique ? Sans perdre une minute il bondit sur sa mobylette et file vers le plateau de l'Atalaye.

RUSTY
equipment for bo

chapitre 10
COURSE DANS LE MUSÉE

Ce n'est pas la première fois qu'il va au musée de la Mer, mais cette fois-ci Manu le perçoit différemment. Le vieux bâtiment rose et blanc des années 1930 lui évoque un gros gâteau à la crème. Sur la façade d'entrée, en bas-relief, il contemple la fameuse pieuvre, le logo du musée ; avec ses huit tentacules déployés en arabesques, elle paraît inquiétante.

Manu pénètre en trombe dans l'établissement qui va bientôt fermer ses portes. Il grimpe les larges escaliers quatre à quatre et arrive dans la salle des cétacés, sa salle préférée.

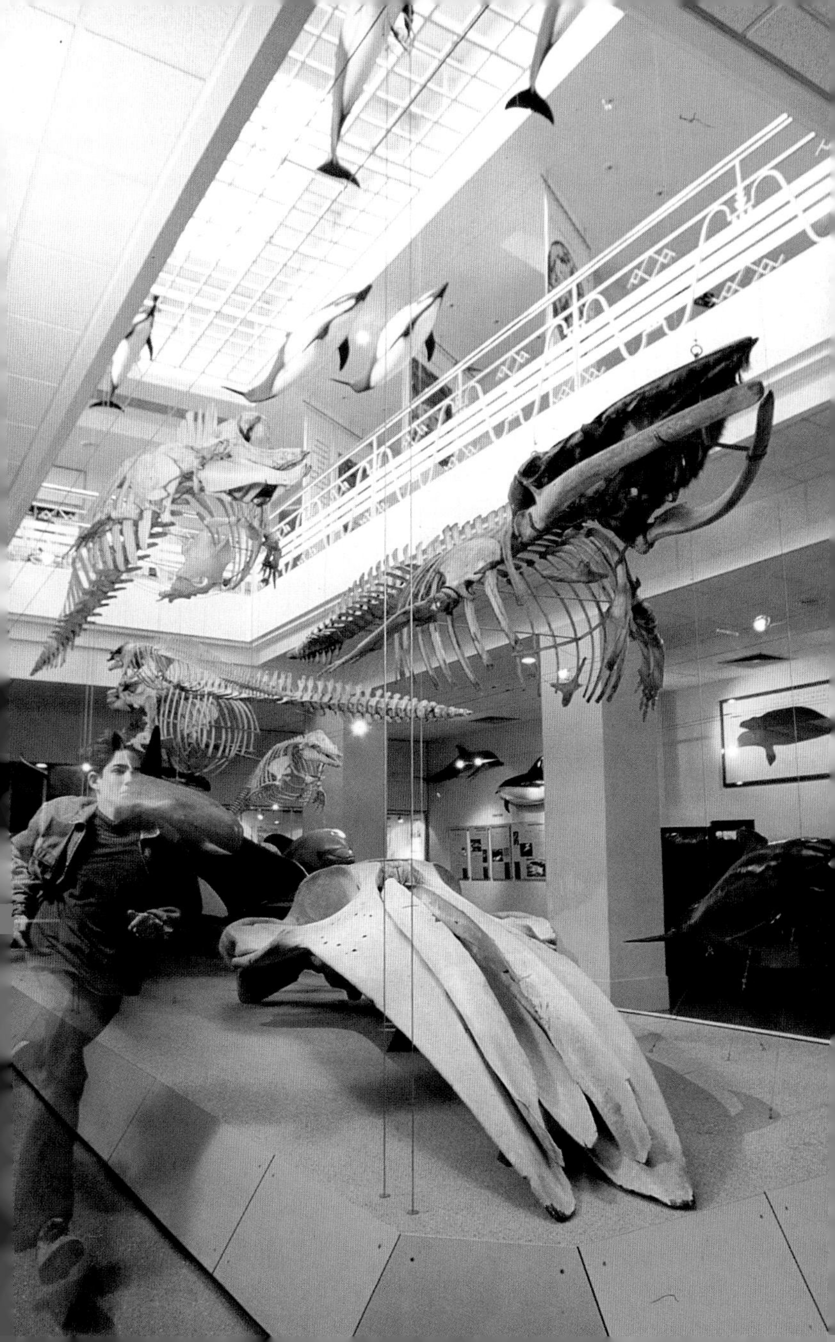

Rien ne l'impressionne plus ici que l'immense crâne oblong de la baleine bleue. Il ressemble à un vaisseau spatial. Au passage, Manu admire la réplique de l'orque grandeur nature, mais il n'a qu'une idée en tête : retrouver Marine.

Manu traverse en hâte la salle où sont exposés différents filets, hameçons, et autres engins de pêche, puis inspecte une autre salle qui retrace l'histoire du surf dans la région. Une photo attire son regard : un gros Hawaïen souriant se tient sur la plage de Biarritz, sa *long board* (longue planche) debout près de lui, le dépassant d'un bon mètre. On dirait Nalu…

Toujours aucune trace de Marine. Manu passe devant l'aquarium des requins et celui des phoques. Deux enfants contemplent bouche bée le requin qui tourne mécaniquement dans son espace réduit.

Un vent froid souffle sur Manu. Il ressent un malaise à voir ainsi le phoque, le requin, ces valeureux habitants des océans, symboles de liberté, enfermés à l'intérieur de bassins stériles, exhibés au public, nourris de poissons morts… Tristesse…

Il n'y a presque plus de visiteurs dans le musée. Le cœur de Manu se serre : Marine serait-elle déjà repartie ? Les hauts-parleurs annoncent la fermeture. Manu grimpe sur la terrasse à ciel ouvert près du bassin des phoques. Depuis cette terrasse spectaculaire on domine le golfe de Gascogne. Au sud on distingue l'ombre découpée des Pyrénées et les côtes d'Espagne qui partent à la perpendiculaire. Au nord on devine le sable clair des longues plages landaises qui se

perdent dans les brumes océanes.

Manu s'imagine à la passerelle d'un immense navire dont la proue, pointée vers l'ouest, serait le rocher de la Vierge. Les vagues majestueuses roulent de part et d'autre. Sur la promenade qui va vers la pointe, quelques marcheurs déambulent pour assister au coucher de soleil. Autour d'eux, la houle venue du large se déroule en crêtes blanches.

Le regard de Manu est alors attiré par une silhouette de dos. Il la reconnaîtrait entre mille : Marine ! Elle est seule, là-bas, les mains dans les poches de son duffle-coat, marchant vers la pointe, face à la mer…

Manu ressort du musée aussi vite qu'il y est entré…

chapitre 11
UN POUVOIR MAGIQUE

Essoufflé, Manu arrive derrière Marine au bout de la promenade. Il pose une main sur son épaule ; elle se retourne et ils disent la même chose en même temps :

– Mais qu'est-ce que tu fais là ? ?

Décontenancé, Manu voit couler des larmes sur les joues de Marine. Il ne sait comment les interpréter.

– Le vent de la mer... Ça me fait toujours pleurer, dit-elle en guise d'excuse.

– J'étais au musée, dit Manu précipitamment. Je t'ai vue de loin. Et euh... ça tombe bien... J'ai quelque chose... pour toi... je...

Manu ne sait plus comment raconter son histoire. Marine le regarde, le sourcil interrogatif. Pour se donner du courage, il plonge la main dans sa poche et y prend les deux

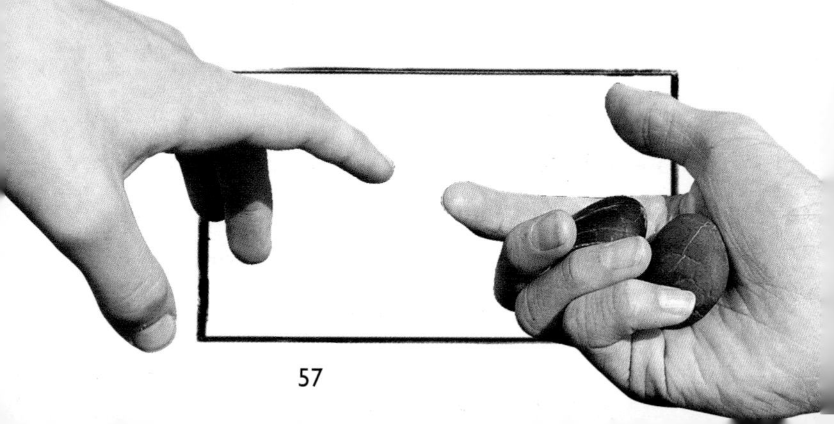

petites pierres noires. Il ouvre la main et les présente à Marine, comme si cela suffisait à tout expliquer. Elle se penche et les regarde de près ; Manu ne dit rien. Elle finit par en prendre une et la fait rouler entre ses doigts, telle une pierre précieuse.

– C'est une perle noire ? demande-t-elle.

– Euh… non, c'est une roche volcanique.

– C'est pour moi ?

– Oui ! souffle Manu. Elle m'a été donnée par un ami d'Hawaii. Il dit qu'elle a un pouvoir magique.

– Un pouvoir magique ? ? Les yeux de Marine brillent d'un nouvel éclat.

– Il m'a dit qu'il fallait la mettre sous son oreiller pour dormir.

– Mais qu'est-ce que ça fait ?

– C'est par rapport aux rêves, il dit que les dieux du surf sont aussi les dieux du rêve…

Une vague plus forte explose contre les rochers, lui coupant la parole. La gerbe d'écume s'élève vers le ciel, geyser livide. Marine pousse un cri et s'accroche instinctivement à Manu. Spectrale, cette vague réveille chez Marine des images de cauchemar qui hantent ses nuits, vision d'un corps sans vie flottant à la dérive… Les mâchoires serrées, elle fait demi-tour et repart vers la passerelle.

– Je ne sais pas pourquoi je suis venue ici, dit-elle. C'est idiot, je n'aurais pas dû. Elle désigne les petites croix plantées sur le rocher devant la Vierge. Regarde Manu : combien de naufrages, combien de noyés ?

Manu la suit, tentant de la rasséréner et de lui communiquer sa passion pour l'élément marin.

– La mer ce n'est pas seulement la vie, clame Manu avec lyrisme, c'est aussi l'avenir, j'en suis sûr... N'oublie pas que l'ensemble de nos terres émergées ne représente même pas le tiers de la planète ! Tout le reste, c'est de l'eau. Il faut bien que nous apprenions à vivre avec l'océan. Et puis la mer est tellement belle, tellement forte...

Manu désigne un voilier au loin, puis, sur une plage, la silhouette de surfers virevoltant sur les vagues tels des dauphins.

– Je sais que tu as raison, dit Marine en baissant les yeux, et pour te dire la vérité, j'aimais bien la mer, avant...

Ils se trouvent sur la passerelle métallique lorsqu'une nouvelle vague gronde sous leurs pieds. Des enfants crient de joie ; Marine est tétanisée. Manu s'interroge : « avant quoi ? ».

– Tu as vécu une mauvaise expérience ? demande-t-il.

Marine soupire, ses yeux se mettent à briller :

– Non, ce n'est pas ça... C'est ma grand-mère... Je l'ai vue dépérir pendant des mois, des années... Et quand elle est morte, elle m'a fait promettre quelque chose...

Trop émue, Marine ne peut plus parler.

Elle repart d'un pas vif pour cacher les larmes qui gonflent ses yeux. Manu la suit sans rien dire ; ils arrivent sur le parking, devant le musée. Il sent qu'elle va peut-être lui avouer un secret...

Surgit alors un VTT bariolé : Omar est là, souriant, maniant son vélo avec une précision millimétrique. Le charme est rompu.

– Tiens, ben justement, Marine te cherchait tout à l'heure... Alors, vous vous êtes trouvés ? Sa voix ne recèle aucune malice et son sourire est éclatant.

– Bon, dit Marine embarrassée, je m'en vais, Manu. À demain...

Manu ne sait pas quoi répondre, Marine s'éloigne déjà. Saisi d'une inspiration, il la rattrape pour lui souffler un dernier mot à l'oreille :

– Hé ! Surtout n'oublie pas de mettre le caillou sous ton oreiller ce soir !

chapitre 12
LES PIERRES DU RÊVE

Plus tard, quand tombe la nuit, Manu est encore vibrant d'émotion. D'ordinaire il rechigne à aller se coucher mais cette fois-ci, sous prétexte de réviser un contrôle de physique, il file dans sa chambre.

Il place religieusement la petite pierre noire sous son oreiller, s'allonge tout habillé sur son lit et laisse glisser ses yeux sur les posters de surf tapissant les murs de sa chambre…

Encore retournée par l'épisode du rocher de la Vierge, Marine monte elle aussi dans sa chambre sans dire bonsoir à personne. Contrairement à Manu, elle oublie son petit caillou dans la poche de son duffle-coat. Installée à son bureau, elle parcourt du regard – sans vraiment les voir – les photos épinglées sur sa plaque de liège. Marine à cheval… Patrick, son premier amour, dans la neige… Marine à la foire, entourée de copines, sur le wagon du grand huit… Grand-mère… Une photo de sa grand-mère assise sous les ombres de la tonnelle, avec son sourire nostalgique.

Pendant que Manu et Marine se laissent aller à leurs rêveries, une silhouette singulière marche sur la plage, dans la nuit : un homme imposant porte une longue planche sous le bras.

C'est Nalu. Ses cheveux gris-blancs sont défaits. Il est paré de bijoux polynésiens. Il pose sa longue planche de surf sur le sable. C'est une Olo, planche que les anciens Hawaïens réservaient aux grandes occasions.

Nalu s'accroupit sur la grève et trace avec le doigt une série de dessins dans le sable, tels des pictogrammes : une île, un volcan, puis une vague sur laquelle glissent deux personnages…

Manu est toujours sur son lit, attendant le sommeil, les mains derrière la tête. Il fixe avec intensité le poster d'une splendide vague de Waimea, plage mythique d'Hawaii ; son regard se perd dans le tube, le cœur de la vague. À force de le fixer il croit voir danser une silhouette au fond du tourbillon écumant…

Chasseurs de Vagues
Chasseurs de

Marine est encore à son bureau, le front entre les mains, les lettres de Manu ouvertes devant elle.

Des bribes de poèmes se chevauchent et se superposent.

La porte de sa chambre s'ouvre violemment et apparaît sa petite sœur Élisa, le duffle-coat à la main.

– Maman demande que tu ne laisses pas toujours traîner ton manteau dans le salon…

Élisa lance le manteau sur le lit de sa sœur ; un petit objet tombe et roule sur le plancher. Élisa se saisit vivement de la petite pierre noire.

– Qu'est-ce que c'est ? demande-t-elle.

– Donne-moi ça ! lance Marine, excédée.

Élisa lui échappe, juste le temps d'observer le caillou à la lumière. Elle le fait tinter sur ses dents pour éprouver le matériau :

– Ce n'est qu'un vulgaire caillou ! T'énerve pas comme ça !

Élisa hausse les épaules, lui rend la pierre et sort en claquant la porte.

Une fois seule, Marine caresse la pierre tiède au creux de sa main. Elle se concentre dessus et le visage de Manu apparaît précisément dans sa mémoire. Sa dernière phrase résonne au creux de son oreille : « … N'oublie surtout pas de mettre le caillou sous ton oreiller ce soir ! » Sans plus attendre, Marine le place délicatement sous son oreiller.

Nalu est demeuré accroupi devant ses pictogrammes dans la pénombre nocturne. La marée monte par à-coups. Le gros homme écoute la mer, le vent. Il attend. Enfin une vague se déroule sur le sable, efface partiellement d'un coup de langue les dessins et vient chatouiller ses orteils.

C'est le signal. Nalu se lève, majestueux, s'avance vers l'eau. Les cheveux déployés, sa longue planche en bois sous le bras, un sac en bandoulière, il fait face aux flots noirs. Il ne porte pas de combinaison, ses bijoux brillent dans la nuit sur son large poitrail.

Les eaux du golfe de Gascogne sont glacées, mais Nalu est animé d'une force surhumaine que rien ne semble pouvoir arrêter. Tel un mammifère marin retournant à son élément d'origine, il se lance avec enthousiasme dans les flots ténébreux.

Allongé sur la Olo, il rame énergiquement vers le large. Tout de suite une petite vague d'encre et de neige se dresse. Nalu baisse la tête, la vague déferle sur lui, mais il ne sent pas le froid. Loin de se plaindre, il remercie les éléments. Il est reconnaissant à la mer. La mer est son dieu. Il s'en remet à elle corps et âme.

Tout en ramant vers le large, Nalu songe aux rois hawaïens du passé, le roi de l'île de Kauai, ou le roi Kamehameha, les premiers qui osèrent défier les vagues géantes des îles Sandwich sur leur *Lauloa*, les longues planches de l'époque. Il les invoque silencieusement.

Nalu songe aussi au jeune garçon de tout à l'heure, frêle mais courageux, animé d'une forte volonté. Il revoit la jeune fille aux yeux pleins de larmes, hantée par ses mauvais rêves…

… Ces deux-là s'aiment mais ne le savent pas encore. Nalu voudrait faire quelque chose pour eux, délivrer la jeune fille de sa peur de l'océan grâce à une petite cérémonie que pratiquaient ses ancêtres…

chapitre 13
La mémoire des vagues

Tom Curren, Kelly Slater, Barton Lynch, Laird Hamilton... Les héros surfers de Manu sont tous là, tournoyant sur les murs de sa chambre, photographiés sur les plus beaux « spots » d'Hawaii North Shore, Pipeline, Sunset. Les uns slaloment sur les flancs de jolies petites vagues, les autres dévalent sauvagement des murailles liquides plus hautes qu'un immeuble...

Entre veille et sommeil, Manu songe à cet Hawaïen, Nalu, né sur ces îles qui attirent les vagues du Pacifique comme des aimants. Il essaye d'imaginer l'histoire de cet archipel où les Polynésiens défient l'océan depuis des générations... Manu revoit des gravures anciennes de jeunes dieux, debout sur leurs planches primitives, bravant les éléments déchaînés...

Mais derrière ces images héroïques, les yeux tristes de Marine apparaissent, nuages gris sur un ciel bleu...

Le vent du rêve se lève...Nalu a passé la barre écumante sur sa longue planche. Il goûte les vagues du bout des lèvres, leur demande d'où elles viennent. Il écoute leur murmure. Elles viennent de loin.

Ces vagues-là sont nées en plein Atlantique, au large d'îles volcaniques où croisent les cachalots, les Açores… Ces vagues ont effectué un long périple, roulant sous la surface pendant des milles et des milles avant de venir déferler sur les plages de la Côte basque. Chacune a sa propre histoire. Nalu sait les écouter : lorsqu'une vague déferle, elle livre sa mémoire à qui sait l'entendre.

Nalu ne sent pas le froid. Sous sa planche, la mer entière vibre ; il la sent bouger, vivre. Assis sur la planche, à la dérive, il ouvre le sac étanche en peau de poisson-lune qu'il porte en bandoulière. À l'intérieur, des pétales de fleurs tropicales couleur fuschia, presque mauve.

Nalu se remémore une vieille mélodie des îles que lui a apprise sa grand-mère. Il la fredonne d'abord d'une voix grave de poitrine, puis laisse éclater les paroles ; elles invoquent Huaori, dieu du surf. Le vent de la nuit fait écho, aussi tiède qu'une respiration maternelle.

Une houle ample le soulève. À califourchon sur sa planche, Nalu lance des poignées de pétales au vent, les offrant aux éléments. Les pétales mauves volètent dans la brise tels des papillons, s'éparpillant à la surface de la mer.

chapitre 14

Le secret de Marine

Marine sent une larme couler sur sa joue, sous la pression de souvenirs et d'émotions. Les poèmes de Manu l'ont remuée plus qu'elle ne s'y attendait ; son cœur est lourd du serment qui la lie à sa grand-mère. Pauvre Céleste, qui s'est laissée dépérir à force d'attendre le retour de l'être aimé…

Sept ans plus tôt, Martin, son homme, était parti poser des casiers en mer à bord du *Séraphin*, une solide barque de pêche. Le ciel était bleu et la mer particulièrement calme ; des conditions idéales. Et pourtant on ne revit jamais Martin, ni le *Séraphin*.

Céleste refusait de croire que son homme était mort. Chaque jour elle guettait son retour.

L'été dernier, Marine s'était retrouvée seule auprès de sa grand-mère quand la vieille dame avait été prise d'un malaise.

Le temps de l'allonger sur le lit et de donner un coup de téléphone pour demander de l'aide, Marine avait compris qu'elle était en train de mourir. Elles s'étaient retrouvées seules dans la chambre obscure. Le teint terreux, la voix réduite à un ultime souffle rauque, Céleste s'était confiée :

– Marine… promets-moi une chose… Lorsque Martin reviendra… Dis-lui que je l'ai attendu. Dis-lui que… je

n'ai jamais cessé de l'aimer… Promets-moi que tu attendras son retour…

Marine avait promis, tenant la petite main glacée de sa grand-mère entre ses mains. Depuis ce jour, Marine n'avait plus jamais regardé la mer de la même façon. Elle avait promis, mais ne pouvait croire que son grand-père fût encore vivant. Elle se surprenait néanmoins à scruter l'horizon, au cas où le *Séraphin* réapparaîtrait.

Plus grave, depuis ce serment, Marine faisait des cauchemars. Toujours les mêmes, qui revenaient la hanter nuit après nuit. Une mer déchaînée, des vagues noires et blanches, et ce corps humain, blanc et gonflé, flottant à la surface de l'océan… C'était une vision terrible. Elle se réveillait en sueur, tremblante, au bord des sanglots. Elle avait promis à sa grand-mère d'attendre.

Mais il n'y avait rien à attendre. Marine avait l'impression qu'elle ne pourrait plus jamais s'amuser sur la plage, nager avec ses copains dans les vagues de l'Atlantique. La mer était hantée. Ainsi Marine s'était détournée de la mer, préférant ne plus la voir pour essayer d'oublier. Mais comment oublier ?

Aujourd'hui elle ressent quelque chose de très fort pour ce jeune poète fasciné par l'océan. Elle aussi aimait la mer, avant. Elle voudrait tant exorciser ses peurs, les chasser une fois pour toutes. Elle devine que sa rencontre avec Manu, l'amoureux de la mer, peut l'aider. Peu après l'incident de la plage, Marine s'est efforcée de faire face à cet élément qu'elle redoute. L'envie lui est ainsi venue d'aller au musée de la Mer, puis sur le rocher de la Vierge où elle a vécu tant de bons moments.

Epuisée par ces émotions, elle pleure, la tête dans l'oreiller, couchée tout habillée sur son lit, comme Manu. Elle oublie la présence du petit caillou noir sous son oreiller. Elle laisse couler ses larmes, elle voudrait se laver de son chagrin ; ses larmes ont un goût salé, un goût d'océan...

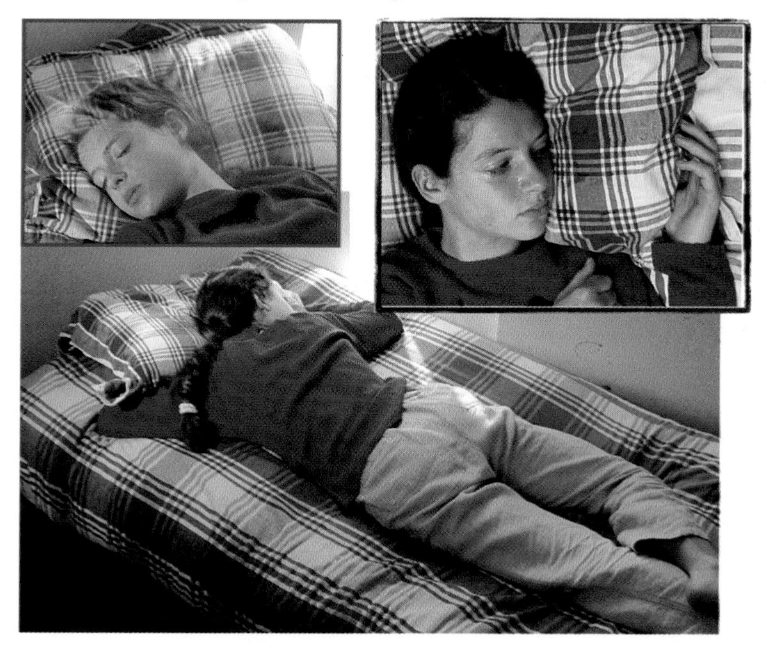

chapitre 15

RENDEZ-VOUS SUR L'OCÉAN DU RÊVE

Le vent du rêve souffle de plus en plus fort; chaude est son haleine. Nalu se tient debout, en équilibre instable sur sa longue planche, les bras tendus vers le ciel sombre. Autour de lui tout se met à tourner, les vagues, le ciel, les nuages... Une spirale se forme, telle une galaxie qui se déroule dans la nuit.

Le visage trempé de larmes, à bout de forces, Marine s'endort. Des images tourbillonnent dans sa tête. Céleste sous la tonnelle, vieille dame au regard bleu pâle, Marine sur le grand huit, entourée d'amis hilares, cheveux au vent, les yeux écarquillés par une délicieuse terreur. La vie paraissait alors si simple... Son corps s'agite, ses paupières frémissent, sa respiration devient irrégulière. Un rêve l'envahit. Elle se trouve dans le wagonnet rouge au sommet du grand huit. C'est l'instant où le chariot ralentit au maximum avant de se lancer à fond dans la grande descente... Elle voudrait hurler mais aucun son ne sort de sa bouche. Sa frayeur augmente, car les rails du grand huit se transmuent en une pente liquide. Marine est en mer, perchée en haut d'une vague démesurée...

... Les yeux perdus dans les photos de surf, s'efforçant de ne pas penser à Marine, Manu finit lui aussi par s'endormir.

Les vagues lumineuses déferlent dans sa tête. *Backdoor*, *Pipeline*, *Jaws*, vagues mythiques qui s'entremêlent dans le vent du rêve et creusent une ample houle en montagnes russes. Manu n'est plus qu'un brin de paille pris dans un maelström, surfer minuscule dans l'immensité liquide.

Les ondulations s'amplifient, il se cramponne à sa planche. Au début c'est plutôt excitant et cela lui rappelle le grand huit d'une foire…

Un grondement sourd s'élève. Manu lève les yeux vers le ciel obscur. Là-haut, tout là-haut, il distingue une clarté blanche, peut-être l'éclat d'une étoile, ou bien l'argent de la Lune ? Puis il crie de terreur : cette lueur blanchâtre au-dessus de sa tête, n'est pas un astre scintillant, mais l'écume d'une vague tellement gigantesque qu'elle recouvre le ciel !

Cette fois-ci c'est la fin de tout, songe Manu avec une étrange sérénité… La vague s'élève, montagne silencieuse qui se cabre, Manu est hissé à des hauteurs invraisemblables, soulevé sans effort dans la paume d'un géant.

Tout ralentit… Un fragile instant, Manu demeure suspendu au « pic », le sommet de la vague, haut dans le ciel… Puis la vague se transforme en avalanche meurtrière, Manu entend une voix lointaine l'appeler :

– « M A N U U U ! »

Il tourne la tête et ouvre de grands yeux : Marine est là, elle est cramponnée à une luge rouge de foire, sur le point de dévaler cette ahurissante pente liquide sans commencement ni fin !

Manu s'élance sur sa planche. Il n'a même pas besoin de ramer pour démarrer, il est propulsé dans le vide par une puissance phénoménale. Il ne glisse plus, il vole.

Un grondement de volcan en éruption retentit derrière lui. Ce ne sont pas des coulées de lave qui déferlent sur les pentes du monstre, mais une écume plus blanche que la neige. La planche vibre sous l'action de la vitesse. Là-bas devant lui, les cheveux tirés en arrière par la vitesse, Marine est à bord d'un bob-sleigh lancé dans une avalanche de mousse. Cette masse duveteuse donne à Manu l'impression de rebondir à toute allure sur un champ de poudreuse, un surf des neiges aux pieds.

La voix de Marine retentit une fois de plus, mais la vitesse est telle que Manu ne distingue presque plus rien ; il doit se concentrer au maximum pour ne pas perdre l'équilibre. Tout menace de sombrer dans un épais brouillard lorsqu'il aperçoit un triangle gris lui indiquant la voie : l'aileron dorsal d'un dauphin !

Exalté, Manu s'accroupit sur sa planche et se penche vers l'aileron bienveillant. Une main jaillit alors de l'écume et

s'empare fermement de la sienne ! Contact magique qui provoque une explosion silencieuse…

Manu ne se trouve plus sur une planche de surf, dévalant un Himalaya liquide, mais suspendu dans les nuages. Il tient quelqu'un par la main : Marine. Un bonheur lumineux l'envahit. Leurs deux vies se fondent en un seul et même rêve.

Le brouillard se dissipe. Manu et Marine flottent à la surface d'un immense océan calme et tiède. Ils se regardent sans comprendre ce qui leur arrive. Leurs mains se séparent sous l'eau, Marine demande :

– Mais… mais qu'est-ce que tu fais dans mon rêve ?

– Je ne suis pas dans ton rêve Marine, on est tous les deux dans le même rêve !… Je suis sûr que c'est à cause de Nalu… Souviens-toi, les petits cailloux…

Marine s'apprête à répondre lorsqu'une silhouette attire leur attention. Un bateau s'approche sans que l'on n'entende le moindre bruit de moteur ; il glisse comme par magie sur la mer calme. C'est un petit bateau de pêche noir et blanc dont le nom est inscrit sur la coque : *Séraphin*. Marine pousse un cri. Un homme est à la barre. Âgé d'une soixantaine d'années il porte une casquette de marin et une vareuse délavée. Un sourire illumine son visage ; ses yeux expriment la bonté. Il manœuvre le bateau silencieux de façon à s'arrêter tout près de Marine et Manu.

– Alors mes gaillards, on se baigne ?

– Grand-père !Grand-père ! ! Marine crie d'une voix étranglée.

Le vieil homme se penche vers elle avec sollicitude :

– Ne crie pas comme ça Marinette, tu vas boire la tasse !

Marine continue :

– Il faut que tu rentres ! Céleste t'attend… Elle t'aime toujours… Elle t'attend…

– Oui oui, je sais, merci pour le message, mais ne t'inquiète donc pas pour ça, ma petite… Tout va bien pour elle et pour moi, maintenant… Je vogue sur la grande mer, la Mer de la Tranquillité. Tu vois, ici pas besoin de moteur, mon bateau avance tout seul. Jamais de tempêtes… Et de temps en temps, d'agréables rencontres… Ça m'a fait bien plaisir de vous voir tous les deux… Et surtout, ne t'inquiète plus pour nous…

Marine voudrait ajouter quelque chose mais déjà le *Séraphin* s'éloigne sans bruit et le vieil homme fait un signe de main pour dire au-revoir… Le bateau disparaît, fugace apparition.

chapitre 16
ÉVEIL

… Trempé de sueur et non d'eau de mer, Manu tombe du lit et se retrouve par terre, ses vêtements froissés. Son cœur bat la chamade. Par la fenêtre il voit le jour qui commence à se lever.

Il regarde sous son oreiller : le petit caillou noir ne s'y trouve plus. Tout cela n'était-il donc qu'un rêve ?

… Marine se dresse sur son lit. Dehors c'est le petit matin. Elle aussi a dormi tout habillée… Encore tremblante, elle repense au rêve… L'image de son grand-père à la barre du *Séraphin* jaillit dans sa mémoire. Il naviguait sur une mer incroyablement tranquille, sans faire le moindre bruit…

À son évocation Marine se sent différente, à la fois libérée d'un grand poids et surprise par la persistance de Manu dans ses pensées. Elle se souvient précisément d'avoir parlé avec lui dans le rêve. Manu l'a-t-il rêvé, lui aussi ? Prise d'une inspiration, elle soulève son oreiller ; le petit caillou a disparu et demeure introuvable. Alors Marine se lève et enfile son duffle-coat, décidée à en avoir le cœur net…

chapitre 17
Rêver la réalité

Le rêve de Manu lui revient avec précision. La présence de Marine palpite dans sa conscience. Pourrait-elle avoir rêvé la même chose de son côté ?

Surexcité, Manu voudrait la voir tout de suite, lui parler… Il ne reste plus qu'une heure avant le début des cours. Si Marine a fait le même rêve que lui, peut-être aura-t-elle la même idée ?…

Sans faire de bruit, Manu sort de chez lui et pousse sa mobylette jusqu'à la rue avant de la faire démarrer. Le jour se lève, l'air est frais et vivifiant, il lui semble renifler l'odeur iodée des embruns, à moins que ce ne soit encore les bribes de son rêve ?

Sa mobylette est en pleine forme, elle caracole le long des rues qui montent vers Anglet avant de redescendre sur la Chambre d'Amour. Pour la première fois depuis des mois, Manu se sent le cœur léger.

Lorsqu'il arrive sur le parking de la plage, Manu pousse un cri et évite une chute de justesse, tant il est surpris de découvrir Marine devant lui, emmitouflée dans son duffle-coat, qui semble l'avoir attendu toute la nuit.

Il est si ému qu'il se contente de poser sa mobylette sur le sol, sans même la béquiller. Les jambes flageolantes, il s'approche de Marine et s'apprête à dire quelque chose. Elle lui fait signe de se taire et se contente de lui tendre la main. Sous le charme, Manu prend la main offerte.

Après avoir joint leurs mains dans le rêve, ils les unissent enfin dans la réalité. Sans rien dire, ils descendent côte à côte vers la plage et marchent dans le sable.

– Tu vois, commence Marine un peu plus tard, je peux regarder la mer maintenant. Je me sens tellement mieux ce matin... Je crois que c'est grâce à ce rêve. Mais tu sais, le petit caillou noir que tu m'as donné... Je l'ai mis sous mon oreiller, et il n'y était plus ce matin...

– C'est bizarre, réplique Manu, moi aussi j'ai fait un rêve et le caillou a disparu…

– Il te joue de drôles de tours, ton ami d'Hawaii… Comment s'appelle-t-il, déjà ?

– Nalu…

À ce nom, Manu est troublé. Il voudrait remercier l'Hawaïen. Quelques pétales mauves sont éparpillés sur la grève ; Marine désigne des traits sur le sable. On devine la trace des pictogrammes : le volcan, la vague, les deux personnages. Marine se tourne vers Manu, un peu solennelle :

– Tu crois vraiment qu'on a fait le même rêve ?

Manu n'a pas le temps de répondre, le grondement d'un rouleau de bord les fait sursauter. La vague tubulaire explose avec un bruit sourd sur le talus de la grève, portant en elle une silhouette brune et massive. Manu tressaille, il a cru qu'il s'agissait de Nalu revenant dans la vague. Ce n'est qu'une vieille souche d'arbre tortueuse, polie par les tempêtes.

Poussée par le Gulf Stream, elle est venue se poser dans le sable devant eux. Manu la regarde de plus près, les sourcils froncés. Elle évoque une sculpture, un totem délavé par l'océan. Il ne peut s'empêcher de caresser la peau douce du bois flotté. À l'emplacement de la tête, les racines forment des cheveux. Manu pousse un « oh ! » de surprise.

Il se penche et désigne quelque chose à Marine. Sous les cheveux-racines, deux yeux noirs les regardent farouchement. Deux petits cailloux noirs sont enchâssés dans les nœuds du bois.

Instinctivement, Manu tend la main. À peine l'a-t-il effleuré que le caillou se déloge de lui-même. Manu l'attrape.

Marine l'imite et l'autre caillou se déloge aussi. Ils les observent de près.

– C'est exactement le même… dit Marine, étonnée.

– … Le même rêve, reprend Manu.

Ils se mettent à rire et à pleurer ensemble. Ce qui leur arrive est incroyable. Un instant Marine redevient grave :

– Ce sera notre secret, n'est-ce pas Manu ? On n'en parle à personne…

Manu se tourne vers elle. Il la regarde dans les yeux :

– De toute façon,
qui nous croirait ?

Générique

Hugo Verlomme a écrit de nombreux livres dont la mer est le sujet. On le connaît pour son épopée fantastique, *Mermere* (Lattès, 1989), mais aussi pour ses romans jeunesse : *L'Homme des vagues* ou *Les Indiens de la ville Lumière* (Gallimard Jeunesse, 1992 et 1995).

Photographe Daniel Allisy
Assistant photographe Laurent Charpentier
Assistante de production Isabelle Darrigrand
Maquillage Anne-Marie Pihouée

Interprétation
Marine : Tiphaine Cassan – Manu : Florian Martinel – Élisa : Ariane Howa – Omar : Samuel Lopez – Nalu : Legi Matiu – Le professeur de français : Lydie James – Les grands-parents : Françoise Jamonneau et Jean Commarieu.

Nous remercions monsieur Didier Borotra, maire de Biarritz, monsieur Cazenave, directeur du Service des sports de la mairie de Biarritz, Françoise Jamonneau et monsieur Pradier. Madame Harambillet, directrice du musée de la Mer de Biarritz et Laurent Soulier. Maritchu Darrigrand de *Quicksilver*. Yann Delmas de *Project*. Legi Matiu et le Biarritz Olympique. Jean Commarieu, maire de la Commune libre du port des pêcheurs de Biarritz. Madame James, directrice de l'école du Braou. Thomas Gouffrant du *Lagoondy Surf Camp*, toute son équipe de petits surfeurs et leurs mamans. Hervé et Maguelonne Cassan.

QUIKSILVER

SURF CAMP LAGOONDY BIARRITZ

Direction Pierre Marchand
Édition et production Cécile Dutheil de la Rochère
Maquette Pascal Hubert

Table des matières

Autres titres de la collection

LE MYSTÈRE DE LA DAME DE FER
Romans **Images** / 2
Auteur : Régine Detambel
Photographe : Pascal Dolémieux

L'OR BLANC DU LOCH NESS
Romans **Images** / 3
Auteur : Hervé Jaouen
Photographe : Olaf Wipperfürth

L'ENFANT ET LA SORCIÈRE
Romans **Images** / 4
Auteur : Michel Déon
Photographe : Nutan

LE COLLÈGE FANTÔME
Romans **Images** / 5
Auteur : Jean-Philippe Arrou-Vignod
Photographe : Philippe Calandre

LE VEILLEUR DU MONT
Romans **Images** / 6
Auteur : Catherine Missonnier
Photographe : Arnaud Baumann

Numéro d'édition : 75914
ISBN : 2-07-059462-9
Imprimé par Editoriale Libraria, Trieste, Italie.